10 minutes seulement

10 minutes seulement

Bath · New York · Singapore · Hong Kong · Cologne · Delhi · Melbourne

Édition originale
Copyright © Parragon Books Ltd
Queen Street House
4 Queen Street
Bath, BA1 1HE
Royaume-Uni

Notes au lecteur
Le dosage étalon des cuillerées utilisé dans chaque recette est le suivant :
1 cuill. à café = 5 ml
1 cuill. à soupe = 15 ml

Sauf indication contraire, les œufs et les légumes individuels, comme les pommes de terre, doivent être de taille moyenne, le lait doit être entier et le poivre, noir, fraîchement moulu.

Il est conseillé à toutes les personnes souffrantes, convalescentes, âgées, ainsi qu'aux enfants et aux femmes enceintes d'éviter la consommation des plats réalisés avec des œufs crus ou à peine cuits.

Il est également conseillé aux femmes enceintes et à celles qui allaitent d'éviter la consommation de cacahuètes ou de produits à base d'arachides.

Édition française

Réalisation : ML Éditions, Paris
Traduction : Véronique Dumont

ISBN : 978-1-4075-4115-0
Imprimé en Chine
Printed in China

Sommaire

Introduction

Si vous êtes pressé ou n'avez pas envie de passer des heures à cuisiner, mais que, par ailleurs, vous appréciez une nourriture fraîche, savoureuse, saine et créative, ce livre est exactement ce qu'il vous faut. Dix minutes suffisent pour réaliser ses recettes savoureuses grâce à un temps de préparation et de cuisson express.

Souvent, les plats cuisinés ou surgelés sont chers, impersonnels, et leurs saveurs fades et artificielles pour plaire au plus grand nombre. Et ils sont aussi gorgés de conservateurs. Or, cuisiner «rapidement» n'implique pas nécessairement l'utilisation de produits chimiques, et rien n'est plus facile que de préparer en un temps record des repas frais avec un minimum d'efforts pour un maximum de goût, tout en connaissant les ingrédients qui les composent.

Les clés du succès résident dans l'utilisation d'aliments de première qualité; pour un goût optimal, choisissez toujours les produits les plus frais (œufs fermiers, fruits et légumes charnus et sans défauts, herbes fraîches, huile d'olive vierge extra, etc.). De la même manière, des placards bien fournis et de bons ustensiles vous faciliteront la tâche. Pâtes et riz constituent des produits de base. Les pâtes sèches se conservent plus longtemps que les fraîches, existent sous de nombreuses formes et tailles et se préparent en quelques instants. Vite cuisiné, un plat nécessite un assaisonnement de qualité ; il importe donc de toujours disposer de vinaigre, de miel, d'épices, d'herbes et de sauces (Tabasco et Worcestershire, par exemple) qui ajouteront à vos recettes piment et variété, mais aussi, pour les relever d'une touche d'originalité, de conserves de poisson (sardines, anchois, thon), tomates, maïs et haricots. Quant à la crème et aux yaourts, incorporés au fouet ou à la cuillère, ils enrichiront à la perfection vos plats sucrés ou salés. Enfin, ayez toujours des pâtes à tarte prêtes à l'emploi et des glaces de qualité dans votre congélateur.

Non seulement un bon ustensile fait toute la différence, mais il permet aussi d'accélérer le temps de réalisation : casseroles antiadhésives, couteaux aiguisés, fouets, passoire, presse-citron, tamis, cuillères et spatules en bois associés aux incontournables robot ménager ou mixer batteur vous feront gagner un temps précieux.

Simplissimes, les recettes proposées dans cet ouvrage ne réclament ni préparation minutieuse ni garniture élaborée ou décoration fantaisiste et sont uniquement réalisées avec des aliments de base esthétiques et savoureux. Rien n'étant meilleur ni plus gratifiant qu'un repas fait maison, dépêchez-vous de les tester et vous apprécierez la différence.

1 Viandes

Pour une cuisson rapide, il est préférable d'utiliser des morceaux de qualité supérieure, et, pour gagner du temps, de congeler la viande 30 minutes environ, ce qui permet de la détailler plus facilement en lamelles fines si la recette l'exige. Enfin, pour qu'une viande cuite au gril soit juteuse, retournez-la une seule fois lors de sa cuisson.

Côtes d'agneau croustillantes à l'orange et au citron

INGRÉDIENTS

1 gousse d'ail écrasée

1 cuill. à soupe d'huile d'olive

2 cuill. à soupe de zeste de citron râpé finement

2 cuill. à soupe de zeste d'orange râpé finement

6 côtes d'agneau

sel et poivre

quartiers d'orange

pour 2 personnes

1 Préchauffez le gril. Dans un saladier, mélangez l'ail, l'huile et les zestes de citron et d'orange.

2 Badigeonnez les côtes d'agneau de cette marinade et passez-les au gril de 4 à 5 min de chaque côté. Servez avec des quartiers d'orange.

Burgers d'agneau aux herbes

INGRÉDIENTS

450 g d'agneau maigre frais haché

environ 200 g de chapelure fraîche

1 oignon haché finement

3 cuill. à soupe d'herbes fraîches hachées (menthe, romarin ou thym, par exemple)

1 œuf

½ cuill. à soupe de jus de pomme

sel et poivre

1 cuill. à soupe d'huile d'olive ou de tournesol

4 petits pains blancs

laitue et tomates en tranches pour garnir

pour ❹ personnes

1 Préchauffez le gril ou allumez le barbecue. Dans un grand saladier, mélangez l'agneau haché avec la chapelure, l'oignon, les herbes, l'œuf et le jus de pomme. Salez et poivrez.

2 Façonnez quatre steaks avec cette préparation et badigeonnez-les légèrement d'huile.

3 Passez-les au gril ou au barbecue de 3 à 4 min de chaque côté.

4 Servez ces steaks dans des petits pains avec de la laitue et des tranches de tomates.

Steaks Teriyaki

INGRÉDIENTS

4 steaks de bœuf de 150 g chacun

sel et poivre

2 cuill. à soupe d'huile végétale

1 grosse tasse de germes de soja rincés

4 oignons nouveaux parés et tranchés finement

SAUCE TERIYAKI

2 cuill. à soupe de mirin (alcool de riz japonais plus doux que le saké)

2 cuill. à soupe de saké ou de xérès sec pâle (fino)

4 cuill. à soupe de sauce soja brune

1 cuill. à café de sucre en poudre

pour 4 personnes

1 Salez et poivrez les steaks. Réservez-les.

2 Préparez la sauce : mélangez le mirin, le saké, la sauce soja et le sucre dans un bol.

3 Dans une poêle, faites chauffer 1 cuill. à soupe d'huile à feu vif, puis faites sauter les germes de soja 30 s. Égouttez-les sur du papier absorbant.

4 Versez l'huile restante dans la poêle. Quand elle est chaude, saisissez les steaks de 1 à 3 min de chaque côté, selon la cuisson désirée. Retirez-les de la poêle et maintenez-les au chaud.

5 Retirez la poêle du feu, versez la sauce, ajoutez les oignons nouveaux, puis remettez-la sur le feu et laissez mijoter 2 min en tournant, jusqu'à ce que la sauce épaississe légèrement et prenne un bel aspect glacé.

6 Dressez chaque steak sur un lit de germes de soja, nappez-les de sauce et servez aussitôt.

Soupe de bœuf vietnamienne

INGRÉDIENTS

1,5 l de bouillon de bœuf de qualité

1 petit piment frais haché

1 bâtonnet de cannelle

2 anis étoilés

2 clous de girofle

250 g de filet de bœuf coupé en fines lanières

300 g de nouilles de riz

4 cuill. à soupe de coriandre fraîche hachée

quartiers de citron vert

pour 2 personnes

1 Dans une cocotte, portez le bouillon à ébullition avec le piment et les épices, puis réduisez le feu et laissez mijoter environ 5 min.

2 Poursuivez la cuisson de 2 à 3 min avec les lanières de bœuf, selon la cuisson désirée.

3 Faites cuire les nouilles selon les instructions indiquées sur le paquet. Égouttez-les et répartissez-les dans deux bols.

4 Versez le bouillon par-dessus, saupoudrez de coriandre hachée et servez avec des quartiers de citron vert.

Bœuf sauté aux noix de cajou

INGRÉDIENTS

2 cuill. à soupe d'huile d'olive ou de tournesol

450 g de rumsteak coupé en fines lamelles

1 cuill. à soupe de grains de poivre noir concassés

2 piments frais épépinés et hachés finement

1 bouquet d'oignons nouveaux parés et tranchés finement ou hachés

90 g de noix de cajou

SAUCE

3 cuill. à soupe de sauce soja

2 cuill. à soupe d'alcool de riz (ou de xérès sec)

1 cuill. à soupe de cassonade

1 cuill. à café de cinq-épices en poudre

pour 2 personnes

1 Faites chauffer l'huile dans un wok préchauffé jusqu'à ce qu'elle commence à fumer, puis faites revenir le bœuf de 3 à 4 min avec les grains de poivre, les piments et les oignons nouveaux. Secouez régulièrement le wok pour une cuisson égale.

2 Mélangez tous les ingrédients de la sauce dans un bol. Versez cette sauce dans le wok et faites-la réchauffer 3 min en tournant.

3 Ajoutez les noix de cajou, mélangez bien et servez aussitôt.

Steaks au poivre à la crème de whisky

INGRÉDIENTS

4 steaks (150 g chacun)

3 cuill. à soupe de grains de poivre noir concassés

2 cuill. à soupe d'huile d'olive ou de tournesol

8 jeunes carottes fraîchement cuites

brins de persil plat frais pour décorer

CRÈME DE WHISKY

environ 150 g de crème liquide

2 cuill. à soupe de bouillon de bœuf

2 ou 3 cuill. à soupe de whisky

pour 4 personnes

1 Passez les steaks dans les grains de poivre concassés en pressant fermement pour bien les en enrober.

2 Faites chauffer l'huile dans une poêle, puis saisissez les steaks 1 min de chaque côté.

3 Retirez-les et maintenez-les au chaud. Retirez l'huile de la poêle.

4 Mélangez la crème, le bouillon, le whisky et le jus des steaks, versez la sauce obtenue dans la poêle et tournez, le temps de la réchauffer. Dressez les steaks sur quatre assiettes chaudes avec les carottes et servez aussitôt nappé de sauce avec un brin de persil.

Boulettes de porc épicées

INGRÉDIENTS

650 g de porc maigre frais haché finement

1 gousse d'ail hachée finement

1 cuill. à café de gingembre en poudre

1 pincée de clous de girofle en poudre

½ cuill. à café de noix muscade fraîchement râpée

½ cuill. à café de piment de la Jamaïque

½ cuill. à café de sel

½ cuill. à café de poivre noir

2 jaunes d'œufs

25 g d'amandes en poudre

2 ou 3 cuill. à soupe d'huile d'olive ou de tournesol

pour 4 personnes

1 Préchauffez le gril. Mélangez le porc haché, l'ail, les épices, le sel, le poivre, les jaunes d'œufs et les amandes en poudre dans un grand saladier. Façonnez des boulettes avec cette préparation et badigeonnez-les d'huile.

2 Passez-les au gril de 8 à 10 min en les retournant de temps en temps, jusqu'à cuisson complète.

3 Vous pouvez également les faire frire à la poêle de 8 à 10 min dans l'huile, jusqu'à cuisson complète. Servez immédiatement.

Porc au gingembre

INGRÉDIENTS

2 cuill. à soupe d'huile d'olive ou de tournesol

1 gousse d'ail écrasée

1 cm de gingembre frais pelé et râpé

2 côtes de porc désossées et coupées en fines lanières

100 g de chou blanc coupé en lanières

4 cuill. à soupe de noix de cajou

1 cuill. à soupe de vin blanc sec

1 cuill. à café de sucre en poudre

2 cuill. à soupe de sauce soja brune

1 cuill. à café d'huile de sésame

sel et poivre

pour 2 personnes

1 Faites chauffer un wok sur feu vif, puis, quand il fume, versez 1 cuill. à soupe d'huile en le tournant de façon à bien la répartir.

2 Faites rissoler l'ail et le gingembre 20 s, puis ajoutez les lanières de porc et faites-les cuire de 3 à 4 min, jusqu'à cuisson complète. Retirez-les, ainsi que l'ail et le gingembre. Maintenez le tout au chaud.

3 Versez l'huile restante dans le wok. Une fois qu'elle est bien chaude, faites sauter le chou de 2 à 3 min, jusqu'à tendreté, ajoutez les noix de cajou et poursuivez la cuisson 3 s.

4 Remettez le porc, l'ail et le gingembre dans le wok avec le vin, le sucre et la sauce soja, puis, après 1 min de cuisson, l'huile de sésame. Salez, poivrez et servez.

Porc à l'aigre-douce

INGRÉDIENTS

1 cuill. à soupe d'huile végétale

350 g de porc maigre coupé en lanières de 5 mm

1 gros poivron rouge épépiné et coupé en lanières

4 oignons nouveaux parés et hachés

450 g de morceaux d'ananas en conserve

2 cuill. à soupe de Maïzena

3 cuill. à soupe de vinaigre de vin

le jus de 1 citron

3 cuill. à soupe de sauce de soja claire

2 cuill. à soupe de sucre en poudre

sel et poivre

pour 4 personnes

1 Faites chauffer l'huile dans une grande poêle, puis faites revenir les lanières de porc 5 min en tournant.

2 Poursuivez la cuisson 3 min avec le poivron et les oignons nouveaux, en continuant de tourner jusqu'à ce qu'ils dorent.

3 Versez le jus d'ananas dans un bol, réservez les morceaux. Incorporez la Maïzena, le vinaigre, le jus de citron, la sauce soja, le sucre, le sel et le poivre à ce jus.

4 Transférez cette préparation dans la poêle et faites-la cuire 1 à 2 min à feu moyen en tournant jusqu'à ce qu'elle commence à épaissir. Ajoutez les morceaux d'ananas, poursuivez la cuisson 1 min et servez aussitôt.

Jambon à la florentine

INGRÉDIENTS

1 grosse poignée de jeunes pousses d'épinard

4 tranches de jambon

sel et poivre

4 œufs

4 cuill. à soupe de crème liquide

1 poignée de gruyère râpé

pour 2 personnes

1 Préchauffez le gril. Couvrez les pousses d'épinard d'eau bouillante dans un grand saladier et laissez-les macérer jusqu'à ce qu'elles se flétrissent. Égouttez-les bien.

2 Garnissez de jambon deux petits plats allant au four – vous pouvez laisser les tranches dépasser sur les bords –, puis étalez uniformément les épinards par-dessus. Salez et poivrez généreusement.

3 Cassez les œufs par-dessus, puis ajoutez la crème.

4 Saupoudrez de gruyère râpé. Passez les deux plats au gril de 8 à 10 min, selon la cuisson désirée pour les œufs, jusqu'à ce que le fromage gratine.

Steaks de chevreuil à la crème de groseilles

INGRÉDIENTS

pour 4 personnes

2 cuill. à soupe de beurre

1 cuill. à soupe d'huile végétale

4 steaks de chevreuil de 250 g chacun

pointes d'asperge fraîchement cuites pour servir

CRÈME DE GROSEILLES

2 cuill. à soupe d'eau

2 cuill. à soupe de confiture de groseilles

environ 150 g de crème fraîche

sel et poivre

1 Faites chauffer le beurre et l'huile dans une poêle. Lorsque le mélange grésille, saisissez les steaks à feu vif de 3 à 4 min de chaque côté, selon la cuisson désirée.

2 Retirez-les et maintenez-les au chaud.

3 Mettez l'eau dans la poêle, tournez, puis ajoutez la confiture de groseilles et la crème. Portez à ébullition, salez et poivrez. Versez la sauce obtenue sur les steaks et servez aussitôt avec les pointes d'asperge.

2 Volailles

Plusieurs astuces vous permettront de gagner du temps si vous cuisinez de la volaille. Ainsi, afin de réduire le temps de cuisson, utilisez des blancs de poulet ou des magrets déjà cuits, ou aplatissez des blancs de poulet placés entre deux feuilles de papier sulfurisé ou de film alimentaire, à l'aide d'un rouleau à pâtisserie.

Poulet satay

INGRÉDIENTS

4 cuill. à soupe de beurre de cacahuète lisse

100 ml de sauce soja

4 blancs de poulet sans la peau et coupés en fines lanières

POUR SERVIR

riz de votre choix fraîchement cuit

quartiers de citron

pour 4 personnes

1 Préchauffez le gril. Dans un bol, mélangez le beurre de cacahuète et la sauce soja jusqu'à obtention d'une préparation lisse. Incorporez les lanières de poulet en tournant pour bien les en enrober.

2 Enfilez ces lanières sur quatre piques en bois humidifiées et passez-les au gril environ 5 min de chaque côté, jusqu'à cuisson complète. Servez immédiatement accompagné de riz et de quartiers de citron.

Poulet aux penne à la crème

INGRÉDIENTS

200 g de penne rigate

sel

1 cuill. à soupe d'huile d'olive

2 blancs de poulet sans la peau

4 cuill. à soupe de vin blanc sec

100 g de petits pois congelés

5 cuill. à soupe de crème fraîche épaisse

4 ou 5 cuill. à soupe de persil frais haché

pour 2 personnes

1 Dans une grande casserole d'eau bouillante salée, faites cuire les pâtes selon les instructions indiquées sur le paquet.

2 Pendant ce temps, faites chauffer l'huile dans une grande poêle et saisissez les blancs de poulet à feu moyen environ 4 min de chaque côté.

3 Poursuivez la cuisson à feu vif avec le vin jusqu'à ce qu'il soit presque entièrement évaporé.

4 Égouttez les pâtes. Mettez-les dans la poêle avec les petits pois et la crème fraîche. Mélangez et laissez mijoter 2 min à couvert. Servez immédiatement saupoudré de persil frais haché.

Poulet sauté à la noix de coco

INGRÉDIENTS

2 cuill. à soupe d'huile végétale

4 blancs de poulet sans la peau et coupés en lanières

1 tige de lemon-grass finement hachée

100 g d'amandes effilées

400 ml de lait de coco en conserve

3 cuill. à soupe de sauce soja claire

3 cuill. à soupe de coriandre fraîche hachée

2 ou 3 cuill. à soupe de noix de coco râpée

pour 4 personnes

1 Faites chauffer l'huile dans un wok. Lorsqu'elle commence à fumer, faites sauter les lanières de poulet 5 min, jusqu'à ce qu'elles dorent.

2 Ajoutez le lemon-grass, les amandes, le lait de coco et la sauce soja. Portez à ébullition, puis réduisez le feu et laissez mijoter 1 min.

3 Servez aussitôt saupoudré de coriandre et de noix de coco râpée.

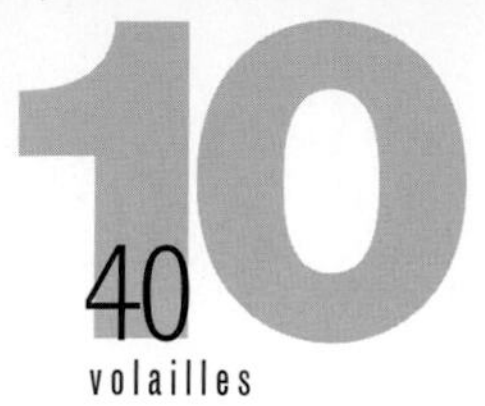

Poulet parfumé

INGRÉDIENTS

1 piment rouge frais épépiné et haché finement

3 gousses d'ail hachées finement

4 oignons nouveaux parés et hachés finement

1 ou 2 cm de gingembre frais pelé et coupé en très fines lamelles

1 cuill. à soupe de coriandre en poudre

1 cuill. à soupe de cumin en poudre

4 cuill. à soupe d'huile d'olive

4 cuill. à soupe de pignons de pin légèrement broyés

sel et poivre

4 blancs de poulet sans la peau et coupés en fines lanières

1 cuill. à soupe de coriandre fraîche hachée

pour 4 personnes

1 Dans un saladier, mélangez le piment, l'ail, les oignons nouveaux, le gingembre, la coriandre et le cumin en poudre, 3 cuill. à soupe d'huile et les pignons. Salez et poivrez.

2 Faites chauffer l'huile restante dans un wok. Lorsqu'elle grésille, saisissez le poulet 4 min à feu vif – faites-le dorer sur ses deux faces.

3 Poursuivez la cuisson de 4 à 5 min avec la préparation au piment, jusqu'à cuisson complète du poulet.

4 Incorporez la coriandre fraîche et servez aussitôt.

Nuggets de poulet à la sauce barbecue

INGRÉDIENTS

pour 4 personnes

4 cuill. à soupe de chapelure

2 cuill. à soupe de parmesan râpé

2 cuill. à café de thym frais haché ou 1 cuill. à café de thym sec

1 cuill. à café de sel

1 pincée de poivre noir

4 blancs de poulet sans la peau et coupés en cubes

8 cuill. à soupe de beurre fondu

SAUCE BARBECUE

4 cuill. à soupe de beurre

2 gros oignons râpés

300 ml de vinaigre ou de cidre

1 grande tasse de ketchup

150 g de cassonade

1 ou 2 cuill. à café de sauce Worcestershire

sel et poivre

1 Préchauffez le four à 200 °C. Mélangez la chapelure, le fromage, le thym, le sel et le poivre sur une grande assiette plate ou dans un sachet en plastique.

2 Passez les cubes de poulet dans le beurre fondu, puis dans la chapelure. Disposez-les ensuite sur la plaque du four et faites-les cuire environ 10 min, jusqu'à ce qu'ils dorent.

3 Pendant ce temps, préparez la sauce : faites chauffer le beurre dans une poêle et faites revenir les oignons à feu doux jusqu'à ce qu'ils fondent sans dorer.

4 Ajoutez le vinaigre, le ketchup, le sucre et la sauce Worcestershire. Salez et poivrez, puis poursuivez la cuisson en tournant jusqu'à complète dissolution du sucre. Portez à ébullition, réduisez le feu et laissez mijoter 5 min.

5 Servez ces nuggets avec de petites coupelles individuelles de sauce barbecue.

Poulet marsala

INGRÉDIENTS

2 cuill. à soupe de farine

sel et poivre

4 blancs de poulet sans la peau et tranchés dans le sens de la longueur

3 cuill. à soupe d'huile d'olive

150 ml de marsala

2 feuilles de laurier

1 cuill. à soupe de beurre

riz fraîchement cuit pour servir

pour 4 personnes

1 Mélangez la farine avec le sel et le poivre sur une assiette plate ou dans un sachet en plastique. Farinez les blancs de poulet (secouez le sachet pour les napper entièrement).

2 Dans une poêle, faites chauffer l'huile à feu moyen et faites revenir le poulet environ 4 min de chaque côté, jusqu'à ce qu'il dore. Retirez-le et maintenez-le au chaud.

3 Dégraissez les jus de cuisson. Ajoutez le marsala et les feuilles de laurier. Faites bouillir 1 min en tournant, puis poursuivez la cuisson avec le beurre et les jus de cuisson du poulet jusqu'à épaississement de la sauce.

4 Remettez le poulet dans la poêle jusqu'à cuisson complète. Servez immédiatement avec du riz fraîchement cuit.

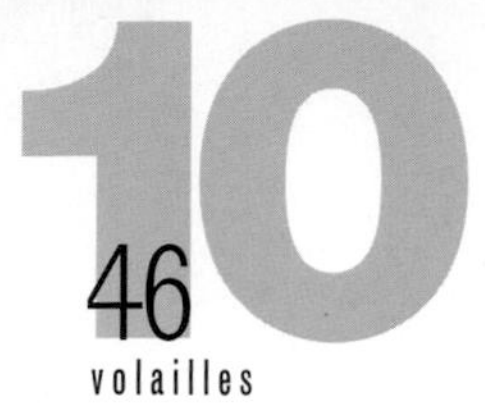

Escalopes de dinde au jambon cru et à la sauge

INGRÉDIENTS

2 escalopes de dinde

sel et poivre

2 tranches de jambon cru coupées en deux

4 feuilles de sauge fraîches

2 cuill. à soupe de farine

2 cuill. à soupe d'huile d'olive

1 cuill. à soupe de beurre

POUR SERVIR

chou rouge fraîchement cuit

quartiers de citron

pour 2 personnes

1 Coupez chaque escalope en deux horizontalement de façon à obtenir deux fines tranches.

2 Placez ces tranches entre deux feuilles de papier sulfurisé ou de film alimentaire et aplatissez-les finement sans les déchirer. Salez et poivrez.

3 Disposez une demi-tranche de jambon sur chaque escalope, ajoutez une feuille de sauge et fixez le tout à l'aide d'une pique en bois.

4 Mélangez la farine, du sel et du poivre sur une grande assiette plate, puis farinez les escalopes en les passant de chaque côté dans ce mélange.

5 Faites chauffer l'huile dans une grande poêle, ajoutez le beurre et attendez qu'il mousse, puis saisissez les escalopes 1 min 30 à feu vif, la feuille de sauge vers le bas. Retournez-les et poursuivez la cuisson 30 s, jusqu'à ce qu'elles soient tendres et dorées. Servez immédiatement avec le chou rouge et des quartiers de citron.

Magret glacé aux agrumes

INGRÉDIENTS

40 g de cassonade, plus si nécessaire

le jus et le zeste râpé finement de 1 orange

le jus et le zeste râpé finement de 1 gros citron

le jus et le zeste râpé finement de 1 citron vert

4 magrets avec la peau

sel et poivre

2 cuill. à soupe d'huile d'olive

POUR SERVIR

pois mange-tout blanchis

quartiers d'orange

pour 4 personnes

1 Mettez le sucre dans une petite casserole avec juste assez d'eau pour le recouvrir, puis faites-le chauffer à feu doux jusqu'à dissolution complète.

2 Ajoutez les zestes et les jus des agrumes. Portez à ébullition, puis réduisez le feu et laissez mijoter environ 10 min, le temps que les zestes attendrissent et que le jus se transforme en sirop. Retirez la casserole du feu. Goûtez et ajoutez du sucre si nécessaire.

3 Pendant ce temps, incisez la peau de chaque magret en croisillons, à l'aide d'un couteau aiguisé, puis frottez-les de sel et de poivre.

4 Faites chauffer l'huile dans une poêle et faites revenir les magrets, peau sur le dessus, puis en les retournant, 5 min de chaque côté, jusqu'à ce que leur chair rosisse. Maintenez-les au chaud.

5 Tranchez chaque magret en biais – en 5 ou 6 tranches que vous disposerez sur des assiettes chaudes.

6 Servez-les aussitôt nappés de sirop d'agrumes, accompagnés de mange-tout et de quartiers d'orange.

Canard asiatique sur salade de nouilles aux cacahuètes

INGRÉDIENTS

pour 3 personnes

2 carottes pelées

2 branches de céleri

1 concombre

3 magrets (150 g chacun)

350 g de nouilles de riz

SAUCE AUX CACAHUÈTES

2 gousses d'ail écrasées

2 cuill. à soupe de cassonade

2 cuill. à soupe de beurre de cacahuète

2 cuill. à soupe de crème de coco

2 cuill. à soupe de sauce soja

2 cuill. à soupe de vinaigre de riz

2 cuill. à soupe d'huile de sésame

½ cuill. à café de poivre noir

½ cuill. à café de cinq-épices

½ cuill. à café de gingembre en poudre

1 Préchauffez le gril. Détaillez les carottes, le céleri et le concombre en fins bâtonnets. Réservez-les.

2 Passez les magrets au gril environ 5 min de chaque côté, jusqu'à cuisson complète, puis laissez-les refroidir.

3 Pendant ce temps, faites chauffer tous les ingrédients de la sauce dans une petite casserole, jusqu'à ce que le sucre soit parfaitement dissous et le mélange homogène. Tournez le temps de bien lisser la sauce. Faites cuire les nouilles selon les indications sur le paquet.

4 Tranchez les magrets. Répartissez les nouilles sur trois assiettes. Garnissez-les des bâtonnets de carottes, de céleri et de concombre, puis disposez les tranches de canard par-dessus. Nappez le tout de sauce et servez aussitôt.

Canard sauté au miel

INGRÉDIENTS

2 cuill. à soupe de miel

4 cuill. à soupe de sauce soja

2 magrets sans la peau et tranchés

1 cuill. à soupe d'huile d'olive

1 bouquet d'oignons nouveaux parés et coupés en lamelles

1 petite tête de chou chinois coupé en fines lanières

sel et poivre

pour ❹ personnes

1 Mélangez le miel et la sauce soja dans un grand saladier. Ajoutez les lanières de canard et tournez afin de bien les napper de sauce.

2 Faites chauffer l'huile dans un wok ou une poêle et saisissez les tranches de magret 2 min (en réservant la marinade au miel), jusqu'à ce qu'elles dorent.

3 Poursuivez la cuisson de 3 à 4 min avec les oignons nouveaux, le chou et la marinade au miel – le canard doit être cuit, mais toujours rose au centre.

4 Salez, poivrez et servez aussitôt.

3 Fruits de mer

Rien n'est meilleur qu'un poisson frais cuisiné avec simplicité et naturel. Si vous retirez vous-même la peau des filets, saler vos doigts vous permettra de gagner du temps en ayant une meilleure prise. Une astuce pour fariner le poisson consiste à le mettre dans un sac en plastique avec de la farine, avant de le secouer délicatement pour l'enrober de façon uniforme.

Crevettes sautées à l'ail et à la sauce pimentée

INGRÉDIENTS

2 cuill. à soupe d'huile d'olive ou de tournesol

1 ou 2 gousses d'ail écrasées

1 bouquet d'oignons nouveaux parés et hachés

350 g de crevettes crues

coriandre ou ciboulette hachée

quartiers de citron vert

SAUCE AU PIMENT

2 cuill. à soupe de sucre de canne

6 cuill. à soupe de vinaigre de vin blanc

2 cuill. à soupe de sauce au poisson thaïe ou de sauce soja

2 cuill. à soupe d'eau

1 gousse d'ail écrasée

2 cuill. à café de gingembre râpé

2 cuill. à café de piment rouge frais épépiné et haché finement

pour ❸ ou ❹ personnes

1 Préparez la sauce : dans une petite casserole, portez à ébullition le sucre de canne, le vinaigre, la sauce de poisson et l'eau. Ajoutez l'ail, le gingembre et le piment, puis versez le tout dans une coupelle.

2 Faites chauffer l'huile dans un wok ou dans une poêle et faites revenir l'ail et les oignons nouveaux 2 min à feu vif. Poursuivez la cuisson de 2 à 3 min avec les crevettes.

3 Répartissez-les sur quatre assiettes chaudes et parsemez-les de coriandre ou de ciboulette. Servez aussitôt, accompagné de sauce pimentée et de quartiers de citron vert.

Moules au vin

INGRÉDIENTS

8 cuill. à soupe de beurre

3 gousses d'ail hachées finement

1 échalote hachée

2 kg de moules grattées et ébarbées (jetez toutes les moules ouvertes et celles qui ne se ferment pas quand vous les frappez d'un coup sec)

250 ml de vin blanc sec

½ cuill. à café de sel

poivre

4 cuill. à soupe de persil frais haché

pour 4 personnes

1 Faites fondre la moitié du beurre à feu doux dans une grande cocotte, puis faites blondir l'ail et l'échalote 2 min. Ajoutez les moules, le vin, le sel et une pincée de poivre.

2 Couvrez, portez à ébullition et faites bouillir les moules 3 min en secouant régulièrement la cocotte.

3 Retirez-les à l'aide d'une écumoire et répartissez-les dans 4 assiettes creuses. Jetez toutes celles qui ne se sont pas ouvertes.

4 Dans un bol, mélangez le beurre restant avec le persil et incorporez ce mélange au jus de cuisson. Portez à ébullition, puis versez la sauce obtenue sur les moules et servez aussitôt.

Huîtres gratinées

INGRÉDIENTS

100 g de poitrine fumée ou de pancetta coupée en dés

25 g de céleri haché finement

4 pointes d'asperge hachées finement

sel et poivre

6 huîtres fraîches écaillées

25 g de mozzarella ferme râpée

pour 2 personnes

1 Préchauffez le gril. Faites revenir la poitrine fumée 1 ou 2 min dans une petite poêle, jusqu'à ce qu'elle rissole. Ajoutez le céleri et les pointes d'asperge. Salez et poivrez.

2 Versez cette préparation sur les huîtres. Saupoudrez de fromage râpé.

3 Passez les huîtres au gril, à température moyenne, de 3 à 4 min, jusqu'à ce que le fromage fonde et gratine. Servez immédiatement.

Rouleaux de noix de Saint-Jacques

INGRÉDIENTS

16 grandes coquilles Saint-Jacques fraîches

8 fines tranches de poitrine fumée ou de pancetta coupées en deux

1 cuill. à soupe d'huile d'olive

le jus de 1 citron

poivre

quartiers de citron pour servir

pour 4 personnes

1 Préchauffez le gril. Enveloppez chaque noix de Saint-Jacques dans une demi-tranche de poitrine fumée.

2 Dans un bol, mélangez l'huile et le jus de citron avec une pincée de poivre.

3 Badigeonnez les bouchées de ce mélange et enfilez-les par quatre sur des brochettes en métal. Jetez le jus de citron restant.

4 Passez-les au gril de 4 à 5 min, à température moyenne, en les retournant une fois pendant la cuisson. Servez immédiatement accompagné de quartiers de citron.

Noix de Saint-Jacques sautées à l'aneth doux

INGRÉDIENTS

12 noix de Saint-Jacques fraîches avec leur corail

le zeste râpé finement et le jus de 2 citrons verts

150 ml de vin blanc sec

1 bouquet d'oignons nouveaux parés et tranchés en biais

sel et poivre

2 cuill. à soupe de sucre en poudre

4 cuill. à soupe de beurre

2 cuill. à soupe d'aneth frais haché

GARNITURE

brins d'aneth frais

rondelles de citron vert

pour 4 personnes

1 Placez les noix de Saint-Jacques dans un plat creux. Mélangez le zeste de citron vert, son jus, le vin, les oignons nouveaux, le sel, le poivre et le sucre dans un bol. Versez cette marinade sur les noix, puis mélangez pour bien les en enrober.

2 Faites chauffer le beurre dans une poêle. À l'aide d'une écumoire, sortez les noix de Saint-Jacques de leur marinade – réservez cette marinade –, puis faites-les sauter 2 min de chaque côté, jusqu'à ce qu'elles commencent à cuire.

3 Ajoutez la marinade et l'aneth, portez à ébullition, puis laissez cuire à gros bouillons 8 min, jusqu'à ce que le jus réduise.

4 Servez immédiatement avec des brins d'aneth et des rondelles de citron vert.

Soupe de crevettes aigre et épicée

INGRÉDIENTS

300 g de crevettes crues décortiquées

2 cuill. à café d'huile végétale

1 gousse d'ail coupée en lamelles

2 piments rouges frais épépinés et coupés en fines rondelles

environ 700 ml de bouillon de poisson

4 fines lamelles de gingembre frais

2 tiges de lemon-grass broyées

5 feuilles de combava coupées en lanières

2 cuill. à café de cassonade

1 cuill. à soupe d'huile pimentée

1 poignée de feuilles de coriandre fraîche

1 filet de jus de citron vert

pour 2 personnes

1 Faites sauter les crevettes à sec dans une poêle ou un wok jusqu'à ce qu'elles rosissent. Réservez-les.

2 Dans la même poêle, faites chauffer l'huile et saisissez l'ail et les piments 30 s.

3 Ajoutez le bouillon, le gingembre, le lemon-grass, les feuilles de combava et le sucre. Laissez mijoter 4 min, puis incorporez les crevettes avec l'huile pimentée et la coriandre. Poursuivez la cuisson de 1 à 2 min.

4 Versez le jus de citron vert et servez aussitôt.

Rillettes de saumon fumé

INGRÉDIENTS

450 g de saumon fumé coupé en petits morceaux

1 cuill. à café de thym frais haché

le jus et le zeste râpé finement de 1 petit citron

2 cuill. à soupe de beurre doux

4 ou 5 cuill. à soupe de mascarpone

1 pincée de paprika

1 pincée de poivre de Cayenne

poivre

pains suédois pour servir

pour environ 450 g

1 Dans un mixer, mélangez rapidement le saumon fumé, le thym, le jus et le zeste de citron.

2 Raclez les bords du bol, ajoutez le beurre et le mascarpone. Ajoutez une pincée de paprika, de poivre et de poivre de Cayenne.

3 Mixez à nouveau jusqu'à obtention d'un mélange homogène, mais pas complètement lisse – la préparation doit rester légèrement granuleuse. Goûtez et rectifiez l'assaisonnement si nécessaire.

4 Transférez cette préparation dans une boîte hermétique, puis laissez-la reposer au réfrigérateur jusqu'à ce qu'elle raffermisse. Sortez-la du réfrigérateur au moins 15 min avant de la servir avec des petits pains suédois.

Saumon grillé à la purée de haricots blancs

INGRÉDIENTS

4 darnes de saumon (150 g chacune)

le jus et le zeste râpé finement de 1 citron

3 cuill. à soupe de sirop d'érable

1 cuill. à soupe de moutarde à l'ancienne

½ cuill. à café de sel

PURÉE DE HARICOTS BLANCS

400 g de haricots blancs en conserve égouttés

1 cuill. à soupe d'huile d'olive

5 cuill. à soupe de crème fraîche

1 gousse d'ail écrasée

sel et poivre

pour 4 personnes

1 Préchauffez le gril. Mettez les darnes de saumon dans un plat allant au four.

2 Dans un bol, mélangez le jus et le zeste de citron, le sirop d'érable, la moutarde et ½ cuill. à café de sel. Badigeonnez les darnes de saumon de cette marinade et passez-les environ 6 min au gril, sans les retourner, jusqu'à cuisson complète.

3 Préparez la purée : dans une casserole, portez les haricots, l'huile, la crème fraîche et l'ail à ébullition. Salez et poivrez généreusement, puis écrasez-les à l'aide d'une cuillère en bois.

4 Dressez le saumon sur des assiettes avec la purée de haricots. Servez immédiatement, nappé des jus de cuisson.

Steaks de thon au poivre

INGRÉDIENTS

4 steaks de thon (150 g chacun)

4 cuill. à café d'huile d'olive ou de tournesol

1 cuill. à café de sel

2 cuill. à soupe de grains de poivre rose, vert et noir grossièrement concassés

POUR SERVIR

4 pommes de terre au four (facultatif)

2 cuill. à soupe de beurre (facultatif)

1 poignée de feuilles de roquette fraîche

quartiers de citron

pour 4 personnes

1 Badigeonnez d'huile les steaks de thon. Salez-les.

2 Passez-les dans les grains de poivre concassés en pressant fermement.

3 Pendant ce temps, mettez une poêle rainurée ou une poêle à frire sur le feu. Une fois qu'elle est chaude, saisissez le poisson de 2 à 3 min de chaque côté à feu moyen. Vous pouvez servir avec des pommes de terre cuites au four garnies de beurre, quelques feuilles de roquette et des quartiers de citron.

Goujonnettes de lotte à la mayonnaise épicée

INGRÉDIENTS

200 g de farine

sel et poivre

3 œufs

150 g de chapelure grossière fraîche

450 g de lotte ou autre poisson blanc ferme, coupé en longues lanières

huile de tournesol ou d'arachide pour la friture

MAYONNAISE PIMENTÉE

2 cuill. à soupe de sauce au piment doux

4 ou 5 cuill. à soupe de mayonnaise

pour 4 personnes

1 Sur une grande assiette plate, mélangez la farine avec une grosse quantité de sel et de poivre. Battez les œufs dans un bol et versez la chapelure sur une autre assiette.

2 Farinez les lanières de poisson, puis passez-les dans les œufs battus, et enfin dans la chapelure (enrobez-les généreusement).

3 Versez 1 cm d'huile dans une poêle antiadhésive ou à fond épais. Lorsqu'elle est chaude, faites frire les lanières de poisson par bains successifs, en les retournant une fois, jusqu'à cuisson complète (comptez quelques minutes pour qu'elles soient cuites et bien dorées).

4 Préparez la mayonnaise pimentée : mélangez la sauce pimentée et la mayonnaise dans un bol.

5 Servez les goujonnettes sur des assiettes chaudes, accompagnées de mayonnaise pimentée.

Lotte en croûte citronnée au persil

INGRÉDIENTS

4 cuill. à soupe d'huile de tournesol ou de beurre fondu

4 cuill. à soupe de chapelure fraîche

4 cuill. à soupe de persil frais haché

le zeste râpé finement de 1 gros citron

sel et poivre

4 filets de lotte (de 150 g à 180 g chacun)

brins de persil frais pour décorer

4 pommes de terre pelées, coupées en dés et sautées pour servir (facultatif)

pour 4 personnes

1 Préchauffez le four à 180 °C. Dans un petit saladier, mélangez l'huile, la chapelure, le persil et le zeste de citron avec une pincée de sel et de poivre jusqu'à obtention d'un mélange lisse.

2 Disposez les filets de poisson sur un grand plat à rôtir, puis nappez-les de chapelure citronnée en l'étalant avec les doigts, de façon qu'ils soient entièrement recouverts.

3 Faites-les cuire au four de 7 à 8 min, jusqu'à cuisson complète. Servez la lotte en croûte avec un brin de persil et des pommes de terre sautées si vous le souhaitez.

Brochettes de la mer

INGRÉDIENTS

450 g de poisson sans peau et sans arêtes (lotte, espadon ou flétan, par exemple)

1 citron coupé en 8 quartiers

8 feuilles de laurier

3 cuill. à soupe d'huile d'olive

pour 2 à 4 personnes

1 Préchauffez le gril. Détaillez le poisson en cubes et enfilez-les sur des piques en bois préalablement humidifiées, en alternant avec les morceaux de citron et les feuilles de laurier.

2 Badigeonnez ces brochettes d'huile et passez-les au gril à température moyenne, environ 4 min de chaque côté, jusqu'à cuisson complète. Servez immédiatement.

Papillotes de poisson au micro-ondes

INGRÉDIENTS

4 filets de 100 g de poisson blanc ferme (lotte, par exemple)

4 cuill. à soupe de jus de citron

4 cuill. à soupe de vin blanc ou de cidre

4 cuill. à soupe de persil frais haché

4 brins de thym frais

4 brins de romarin frais

4 tomates coupées en fines rondelles

pour 4 personnes

1 Découpez quatre feuilles de papier sulfurisé en carrés de 30 cm et disposez un filet de poisson au centre de chaque feuille.

2 Badigeonnez ces filets de 1 cuill. à soupe de jus de citron, de 1 cuill. à soupe de vin blanc, puis de 1 cuill. à soupe de persil haché. Terminez la garniture avec une branche de thym et de romarin.

3 Garnissez-les ensuite de rondelles de tomate (elles doivent se chevaucher). Repliez les angles du papier sulfurisé et constituez quatre papillotes. Placez les papillotes en cercle sur un plat résistant à la chaleur – en les espaçant de 2,5 cm environ –, puis faites-les cuire 7 min au micro-ondes, sur puissance maximale, et servez aussitôt.

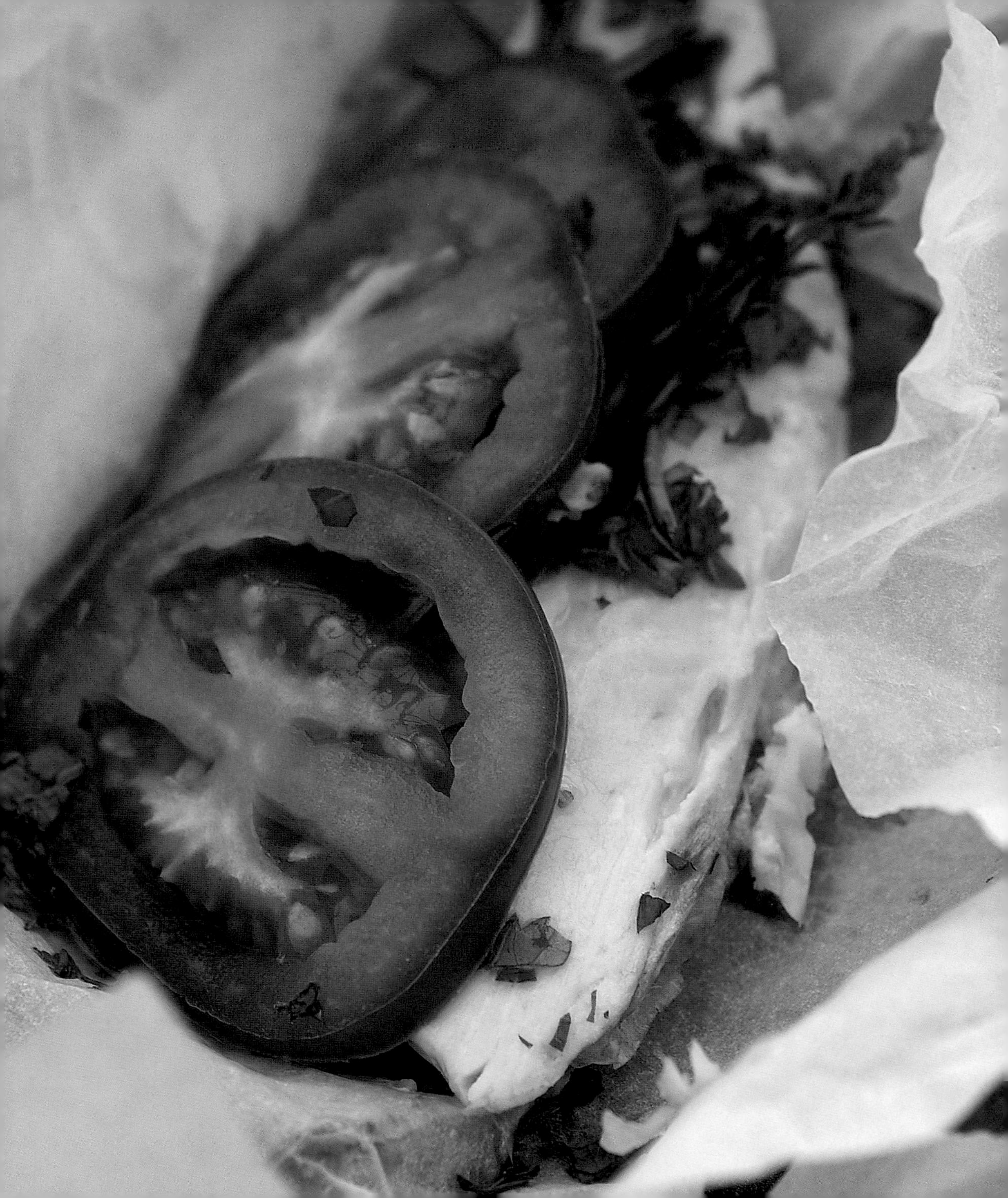

Galettes de thon épicées

INGRÉDIENTS

4 cuill. à soupe de farine

sel et poivre

200 g de thon à l'huile en conserve, égoutté

2 ou 3 cuill. à soupe de pâte de curry

1 oignon nouveau paré et haché finement

1 œuf battu

huile d'olive ou d'arachide pour la friture

feuilles de roquette pour servir

pour 4 galettes

1 Mélangez la farine avec une bonne pincée de sel et de poivre sur une grande assiette plate. Écrasez le thon avec la pâte de curry, l'oignon nouveau et l'œuf battu dans un grand saladier.

2 Façonnez quatre galettes avec cette préparation, puis passez-les dans la farine assaisonnée.

3 Faites chauffer l'huile dans une poêle et faites frire les galettes de 3 à 4 min de chaque côté, jusqu'à ce qu'elles dorent et croustillent. Servez-les sur un lit de roquette.

4 Œufs et fromages

Les œufs, qui se cuisinent en quelques minutes, pourraient être considérés comme l'ancêtre du *fast-food*. Quant au fromage, il améliore la saveur et la texture de nombreux plats, et peut aussi, selon sa variété, en modifier leur goût. Ainsi, avec des œufs et du fromage dans votre réfrigérateur, vous aurez toujours de quoi concocter un plat rapide et délicieux.

Œufs brouillés épicés

INGRÉDIENTS

4 œufs

150 g de crème légère

sel et poivre

1 pincée de safran

2 cuill. à soupe de beurre

½ cuill. à café de cumin en poudre

de ½ à 1 cuill. à café de harissa

1 cuill. à café de coriandre en poudre

2 tranches de pain grillées et beurrées (facultatif) pour servir

pour 2 personnes

1 Dans un saladier, battez les œufs avec la crème, le sel, le poivre et le safran.

2 Faites fondre le beurre dans une poêle et faites revenir le cumin, la harissa et la coriandre en poudre 1 min à feu doux.

3 Ajoutez la préparation aux œufs. Poursuivez la cuisson quelques minutes en tournant, jusqu'à ce que les œufs commencent à prendre. Servez les œufs brouillés sur des tranches de pain grillées chaudes.

Omelette à la provençale

INGRÉDIENTS

3 cuill. à soupe d'huile d'olive ou de tournesol

1 gousse d'ail hachée

250 g d'épinards frais ou surgelés

sel et poivre

1 poignée de tomates cerises coupées en deux

6 œufs fouettés

tomates cerises en grappe pour servir (facultatif)

pour 2 à 4 personnes

1 Faites chauffer l'huile dans une grande poêle, faites dorer l'ail 1 min, puis ajoutez les épinards et faites-les cuire 1 min jusqu'à ce qu'ils se flétrissent.

2 Salez et poivrez. Poursuivez la cuisson 1 min avec les tomates cerises.

3 Versez les œufs dans la poêle, tournez, puis faites-les cuire de 4 à 5 min jusqu'à ce qu'ils prennent. Servez cette omelette chaude ou froide, découpée en parts et accompagnée, si vous le désirez, de tomates cerises en grappes.

Salade aux œufs et au bacon

INGRÉDIENTS

pour 4 personnes

1 cuill. à soupe d'huile d'olive ou de tournesol

de 6 à 8 tranches de bacon coupées en dés

150 g de chapelure fraîche

300 g de mesclun

de 6 à 8 œufs durs coupés en quartiers

12 olives noires

ASSAISONNEMENT

2 cuill. à soupe de vinaigre de vin blanc

5 cuill. à soupe d'huile d'olive vierge extra

1 cuill. à soupe de moutarde à l'ancienne

sel et poivre

1 Faites chauffer l'huile dans une poêle et faites revenir le bacon environ 5 min, jusqu'à ce qu'il rissole. Réservez-le.

2 Dans la même poêle, faites revenir la chapelure à feu vif jusqu'à ce qu'elle dore et croustille. Réservez-la.

3 Mettez la salade dans un saladier avec les œufs et les olives, puis incorporez le bacon.

4 Mélangez le vinaigre, l'huile d'olive vierge extra, la moutarde, le sel et le poivre dans un bol et nappez la salade de cet assaisonnement.

5 Mélangez, saupoudrez de chapelure croustillante et servez aussitôt.

Spaghettis carbonara

INGRÉDIENTS

450 g de spaghettis frais

2 cuill. à soupe de beurre

6 tranches de poitrine fumée coupées en dés

3 œufs

2 cuill. à soupe de crème légère

4 cuill. à soupe de parmesan frais râpé

sel et poivre

persil frais haché

pour 4 personnes

1 Faites cuire les spaghettis *al dente* dans une grande casserole d'eau bouillante salée de 2 à 4 min (ou selon les instructions indiquées sur le paquet).

2 Pendant ce temps, faites fondre le beurre dans une poêle et faites rissoler la poitrine fumée. Maintenez-la au chaud.

3 Dans un petit saladier, battez les œufs avec la crème et le fromage. Salez et poivrez.

4 Dès que les spaghettis sont cuits, égouttez-les et remettez-les à feu doux dans la casserole.

5 Incorporez la poitrine fumée, les œufs et la crème. Tournez rapidement jusqu'à ce que la sauce commence à épaissir et nappe les spaghettis. Servez immédiatement, garni de persil haché.

Tartelettes au fromage de chèvre

INGRÉDIENTS

beurre pour graisser

400 g de pâte feuilletée prête à l'emploi

1 cuill. à soupe de farine

1 œuf battu

3 cuill. à soupe de confiture d'oignons

2 bûches de chèvre de 100 g découpées en rondelles

huile d'olive

poivre

pour environ ⓬ tartelettes

1 Préchauffez le four à 200 °C et graissez plusieurs plaques de four.

2 Farinez légèrement votre plan de travail. Étalez la pâte feuilletée sur 2 cm d'épaisseur, puis découpez autant de cercles de 8 cm de diamètre que possible.

3 Disposez ces cercles sur les plaques et formez un creux d'environ 1 cm de profondeur au centre à l'aide d'un pilon.

4 Badigeonnez les cercles avec l'œuf battu et piquez-les à la fourchette.

5 Garnissez-les de confiture d'oignons et d'une tranche de fromage de chèvre. Versez un filet d'huile par-dessus et poivrez légèrement.

6 Faites cuire les tartelettes de 8 à 10 min, jusqu'à ce que la pâte croustille et que le fromage gratine. Servez-les chaudes.

Salade de chèvre chaud

INGRÉDIENTS

pour 4 personnes

1 petite laitue déchirée en morceaux

1 poignée de feuilles de roquette

quelques feuilles de chicorée déchirées

6 tranches de baguette

100 g de fromage de chèvre coupé en rondelles

ASSAISONNEMENT

4 cuill. à soupe d'huile d'olive extra vierge

1 cuill. à soupe de vinaigre de vin blanc

sel et poivre

1 Préchauffez le gril. Répartissez les feuilles de salade sur quatre assiettes ou saladiers individuels.

2 Passez les tranches de pain au gril – sur un côté. Placez une tranche de fromage sur chaque face non grillée et remettez-les dans le four jusqu'à ce que le fromage commence à fondre.

3 Mélangez tous les ingrédients de l'assaisonnement dans un bol, puis versez-le sur la salade. Tournez afin de bien napper les feuilles.

4 Coupez chaque tranche de pain en deux et placez trois demi-tranches sur chaque assiette. Mélangez très délicatement et servez chaud.

Pizza express

INGRÉDIENTS

pâte à pizza prête à l'emploi

feuilles de basilic déchirées

GARNITURE À LA TOMATE

200 g de tomates concassées

3 cuill. à soupe de purée de tomate

2 gousses d'ail écrasées

1 pincée de sucre, de sel et de poivre

1 poignée de tomates cerises

GARNITURE AU FROMAGE

200 g de tomates concassées

3 cuill. à soupe de purée de tomate

100 g de poivrons grillés en bocal, coupés en lanières

quelques olives noires

sel et poivre

100 g de mozzarella ferme râpée

50 g de parmesan râpé

pour 4 à 6 personnes

1 Préchauffez le four à 200 °C. Préparez la garniture à la tomate : mélangez tous les ingrédients dans un saladier et versez ce mélange sur la pâte à pizza. Parsemez de tomates cerises.

2 Pour la garniture au fromage, mélangez les tomates concassées et la purée de tomate dans un récipient. Étalez ce mélange sur la pâte à pizza. Ajoutez les poivrons et les olives. Salez, poivrez, puis recouvrez de mozzarella et de parmesan.

3 Faites cuire cette pizza au four de 8 à 10 min, jusqu'à ce qu'elle soit chaude et que le fromage gratine. Servez aussitôt, parsemé de feuilles de basilic.

Pâtes à l'ail et à la crème de ricotta

INGRÉDIENTS

300 g de pâtes fraîches courtes

140 g de ricotta

1 ou 2 gousses d'ail rôties (en bocal) émincées en fines lamelles

150 g de crème liquide

1 cuill. à soupe de menthe fraîche hachée et 4 brins pour décorer

poivre

pour 4 personnes

1 Faites cuire les pâtes *al dente* dans une grande casserole d'eau bouillante salée pendant 3 min, ou selon les instructions indiquées sur le paquet.

2 Dans un bol, mélangez la ricotta, l'ail, la crème et la menthe hachée jusqu'à obtention d'une préparation lisse.

3 Égouttez les pâtes, puis remettez-les dans la casserole. Incorporez la préparation à la ricotta et tournez afin de bien en enrober les pâtes.

4 Poivrez et servez aussitôt avec des brins de menthe.

Sandwich au fromage pimenté

INGRÉDIENTS

150 g de fromage râpé (du gruyère, par exemple)

8 cuill. à soupe de beurre mou, plus pour beurrer les sandwichs

4 piments verts frais épépinés et hachés

½ cuill. à café de cumin en poudre

8 tranches de pain de mie épaisses

pour 4 sandwiches

1 Préchauffez le four à 190 °C. Dans un petit saladier, mélangez le fromage et le beurre jusqu'à obtention d'une préparation crémeuse. Ajoutez les piments et le cumin.

2 Répartissez ce mélange sur quatre tranches de pain et couvrez-les avec les tranches restantes.

3 Beurrez l'extérieur des sandwiches et faites-les cuire de 8 à 10 min au four, jusqu'à ce qu'ils dorent. Servez immédiatement.

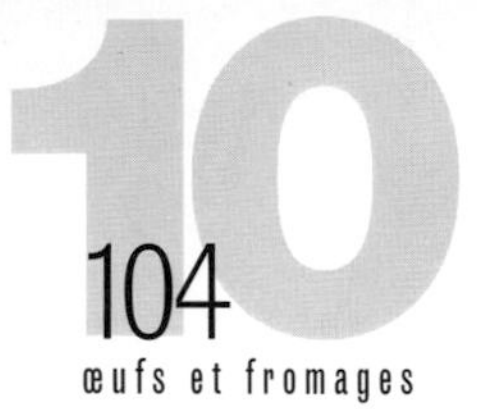

Camembert au caramel

INGRÉDIENTS

2 cuill. à soupe d'eau

200 g de sucre en poudre

1 grand camembert

POUR SERVIR (FACULTATIF)

8 tranches de pain de mie rond grillées

4 petites grappes de raisins blancs frais lavés

pour 4 personnes

1 Dans une casserole, faites chauffer l'eau et le sucre à feu doux, jusqu'à dissolution.

2 Augmentez le feu et prolongez la cuisson le temps que le sucre brunisse.

3 Retirez la casserole du feu et versez immédiatement son contenu sur le camembert. Laissez le caramel se solidifier, faites-le craqueler, puis servez ce camembert à température ambiante, accompagné de pain de mie et d'une grappe de raisins, si vous le désirez.

Provolone rôti au couscous aux herbes

INGRÉDIENTS

450 g de provolone coupé en tranches de 5 mm

4 cuill. à soupe d'huile pimentée

COUSCOUS AUX HERBES

400 ml de bouillon de légumes chaud

environ 200 g de couscous

2 cuill. à soupe d'herbes fraîches variées hachées

2 cuill. à café de jus de citron

1 cuill. à soupe d'huile d'olive

pour 4 personnes

1 Préchauffez le gril à température maximale et couvrez la grille du four de papier aluminium.

2 Mettez les tranches de fromage dans un saladier, versez l'huile pimentée et mélangez pour bien les en enrober.

3 Disposez-les sur la grille et passez-les au gril de 2 à 3 min de chaque côté, jusqu'à ce qu'elles dorent.

4 Pendant ce temps, dans un grand saladier, versez le bouillon chaud sur le couscous et laissez-le reposer 5 min à couvert.

5 Incorporez les herbes, le jus de citron et l'huile d'olive et servez le couscous aux herbes avec le provolone grillé.

Gnocchi à la mozzarella

INGRÉDIENTS

beurre pour graisser

450 g de gnocchi de pommes de terre sous vide

sel et poivre

250 g de crème liquide

200 g de mozzarella ferme râpée ou hachée

pour ❷ à ❹ personnes

1 Préchauffez le gril et graissez un grand plat allant au four.

2 Faites cuire les gnocchis dans une grande casserole d'eau bouillante salée environ 3 min, ou selon les instructions indiquées sur le paquet.

3 Égouttez-les et transférez-les dans le plat.

4 Salez et poivrez la crème, puis versez-la sur les gnocchis. Saupoudrez-les de fromage et passez-les quelques minutes au gril, jusqu'à ce qu'ils dorent et gratinent. Servez immédiatement.

5 Plats végétariens

Dégustés seuls, les légumes, parfumés et vivement colorés, sont délicieux ; mais il suffit d'ajouter quelques herbes, comme une pincée de menthe dans une soupe de petits pois, pour en modifier totalement le goût. De la même manière, quelques noix grillées ou du fromage émietté exaltent la saveur et la couleur des salades les plus simples.

Velouté d'avocat glacé

INGRÉDIENTS

4 avocats mûrs pelés et dénoyautés

1 gousse d'ail

1,5 l de bouillon de légumes

4 cuill. à soupe de jus de citron vert

1 pincée de poivre de Cayenne

sel et poivre

2 cuill. à soupe de ciboulette coupée aux ciseaux pour décorer

baguette pour servir

pour 6 personnes

1 Dans un mixer, mélangez les avocats, l'ail, le bouillon, le jus de citron vert et le poivre de Cayenne jusqu'à obtention d'une préparation lisse.

2 Salez et poivrez. Laissez ensuite refroidir cette soupe au réfrigérateur jusqu'au moment de servir. Servez-la glacée, parsemée de ciboulette ciselée, accompagnée de pain.

Soupe de petits pois du jardin

INGRÉDIENTS

600 ml de bouillon de légumes

450 g de petits pois frais

sel et poivre

1 pincée de sucre en poudre

150 g de crème légère

POUR SERVIR

2 cuill. à soupe de crème légère

4 petits pains croustillants

pour 4 personnes

1 Portez le bouillon à ébullition dans une grande casserole, puis faites cuire les petits pois 5 min.

2 Retirez la casserole du feu, salez, poivrez et sucrez, puis transférez l'eau et les pois dans un mixer. Mélangez jusqu'à obtention d'une préparation lisse.

3 Versez ce mélange dans une casserole, incorporez la crème et amenez à feu doux au point d'ébullition.

4 Goûtez et rectifiez l'assaisonnement si nécessaire, puis versez la soupe dans quatre bols, agrémentée de 1 cuill. de crème légère. Servez avec des petits pains.

Quesadillas

INGRÉDIENTS

4 cuill. à soupe de piments jalapeño frais hachés finement

1 oignon haché

1 cuill. à soupe de vinaigre de vin rouge

5 cuill. à soupe d'huile d'olive vierge extra

de 300 à 400 g de maïs en conserve

8 tortillas

pour 4 personnes

1 Dans un mixer, mélangez les piments, l'oignon, le vinaigre et 4 cuill. à soupe d'huile d'olive jusqu'à obtention d'une préparation grumeleuse.

2 Transférez cette préparation dans un saladier. Incorporez le maïs.

3 Faites chauffer l'huile restante dans une poêle et faites blondir une tortilla 1 min.

4 Garnissez-la de préparation aux piments, puis repliez-la pour enfermer la garniture.

5 Remettez-la de 2 à 3 min sur le feu jusqu'à ce qu'elle dore et que sa garniture cuise, puis retirez-la de la poêle et maintenez-la au chaud. Renouvelez l'opération avec les trois autres tortillas et la garniture restante. Servez immédiatement.

Champignons à la crème

INGRÉDIENTS

le jus de 1 petit citron

450 g de champignons de Paris

2 cuill. à soupe de beurre

1 cuill. à soupe d'huile de tournesol ou d'olive

1 petit oignon haché finement

sel et poivre

150 g de crème fouettée ou épaisse

1 cuill. à soupe de persil frais coupé, plus 4 brins pour décorer

pour 4 personnes

1 Versez un filet de jus de citron sur les champignons.

2 Faites chauffer le beurre et l'huile dans une poêle et faites dorer l'oignon 1 min. Ajoutez les champignons en secouant la poêle pour qu'ils n'attachent pas.

3 Salez et poivrez, puis incorporez la crème, le persil haché et le jus de citron restant.

4 Faites chauffer le tout sans atteindre le point d'ébullition, puis dressez les champignons à la crème sur un plat. Servez immédiatement, avec des brins de persil.

Tofu sauté

INGRÉDIENTS

2 cuill. à soupe d'huile d'olive ou de tournesol

350 g de tofu ferme coupé en dés

250 g de pak choy (bette chinoise) grossièrement haché

1 gousse d'ail hachée

4 cuill. à soupe de sauce au piment doux

2 cuill. à soupe de sauce soja claire

pour 4 personnes

1 Faites chauffer 1 cuill. à soupe d'huile dans un wok et faites revenir les dés de tofu de 2 à 3 min en plusieurs fois, jusqu'à ce qu'ils prennent une belle couleur dorée. Retirez-les et réservez-les.

2 Mettez le pak choy dans le wok et faites-le cuire quelques secondes, le temps qu'il se flétrisse et devienne tendre. Retirez-le et réservez-le.

3 Versez l'huile restante dans le wok, faites sauter l'ail 30 s.

4 Incorporez la sauce au piment et la sauce soja. Portez à ébullition.

5 Remettez le tofu et le pak choy et tournez délicatement afin de bien les napper de sauce. Servez immédiatement.

Nouilles sautées

INGRÉDIENTS

150 g de nouilles de riz plates

6 cuill. à soupe de sauce soja

2 cuill. à soupe de jus de citron

1 cuill. à café de sucre en poudre

½ cuill. à café de Maïzena

1 cuill. à soupe d'huile végétale

2 cuill. à café de gingembre frais râpé

2 gousses d'ail hachées

4 ou 5 oignons nouveaux parés et coupés en lamelles

2 cuill. à soupe de vin de riz ou de xérès sec

200 g de châtaignes d'eau en conserve coupées en lamelles

pour 2 personnes

1 Mettez les nouilles dans un grand saladier et recouvrez-les d'eau bouillante. Laissez-les reposer 4 min, puis égouttez-les et rincez-les sous l'eau froide.

2 Mélangez la sauce soja, le jus de citron, le sucre et la Maïzena dans un bol.

3 Faites chauffer l'huile dans un wok et faites sauter le gingembre et l'ail 1 min.

4 Ajoutez les oignons nouveaux. Faites-les revenir 3 min.

5 Versez le vin de riz ou le xérès sec, puis le mélange de sauce soja. Prolongez la cuisson 1 min.

6 Incorporez les châtaignes d'eau et les nouilles, poursuivez la cuisson de 1 à 2 min, le temps de réchauffer le tout et servez aussitôt.

Galettes aux pois chiches

INGRÉDIENTS

400 g de pois chiches en conserve égouttés et rincés

1 petit oignon haché

le zeste et le jus de 1 citron vert

2 cuill. à café de coriandre en poudre

2 cuill. à café de cumin en poudre

6 cuill. à soupe de farine

4 cuill. à soupe d'huile d'olive

4 brins de basilic frais pour décorer

tomates concassées au basilic pour servir

pour 4 personnes

1 Mixez les pois chiches, l'oignon, le zeste et le jus de citron vert et les épices jusqu'à obtention d'une pâte grossière.

2 Transférez cette pâte sur un plan de travail propre ou une planche à découper, et façonnez quatre galettes.

3 Saupoudrez la farine sur une grande assiette plate. Farinez les galettes.

4 Faites chauffer l'huile dans une grande poêle et faites dorer les galettes 2 min de chaque côté, jusqu'à ce qu'elles croustillent. Servez-les accompagnées de basilic, avec 1 ou 2 cuill. de tomates concassées.

Tagliatelle au citron et au thym

INGRÉDIENTS

350 g de tagliatelle fraîches

6 cuill. à soupe de beurre

le jus et le zeste râpé finement de 1 citron

2 cuill. à soupe de thym frais haché

sel et poivre

pour 2 à 4 personnes

1 Faites cuire les pâtes *al dente* dans une grande casserole d'eau bouillante salée environ 4 min, ou selon les instructions indiquées sur le paquet.

2 Égouttez-les, en laissant environ 3 cuill. à soupe du liquide de cuisson. Incorporez le beurre, le zeste râpé et le jus du citron, le thym, le sel et le poivre. Tournez et servez aussitôt.

Pâtes en sauce épicée aux olives

INGRÉDIENTS

350 g de pâtes fraîches

sel

6 cuill. à soupe d'huile d'olive

½ cuill. à café de noix muscade fraîchement râpée

½ cuill. à café de poivre noir

1 gousse d'ail écrasée

2 cuill. à soupe de tapenade

1 grosse poignée d'olives noires ou vertes dénoyautées et coupées en lamelles

1 cuill. à soupe de persil frais haché (facultatif)

pour 2 à 4 personnes

1 Faites cuire les pâtes *al dente* dans une grande casserole d'eau bouillante salée environ 4 min, ou selon les instructions indiquées sur le paquet.

2 Pendant ce temps, dans une autre casserole, faites chauffer l'huile, la noix muscade, le poivre, l'ail, la tapenade et les olives avec une pincée de sel, sans atteindre le point d'ébullition. Laissez reposer à couvert de 3 à 4 min.

3 Égouttez les pâtes et remettez-les dans la casserole. Ajoutez l'huile épicée, faites-les réchauffer de 1 à 2 min à feu doux, puis servez aussitôt avec du persil haché, si vous le désirez.

Légumes au gingembre chinois

INGRÉDIENTS

1 cuill. à soupe d'huile de tournesol ou d'arachide

2,5 cm de gingembre frais, pelé et râpé

200 ml d'eau

1 oignon tranché finement

100 g de haricots verts surgelés coupés en petits tronçons

450 g de légumes variés surgelés

2 grosses cuill. à soupe de cassonade

2 cuill. à soupe de Maïzena

4 cuill. à soupe de vinaigre

4 cuill. à soupe de sauce soja

1 cuill. à café de gingembre en poudre

pour 2 personnes

1 Faites chauffer l'huile dans un wok ou une grande poêle, puis faites sauter le gingembre râpé 1 min. Retirez-le et égouttez-le sur du papier absorbant.

2 Réduisez à feu doux, ajoutez l'eau et les légumes.

3 Couvrez d'un couvercle ou d'une feuille de papier aluminium et faites-les cuire de 5 à 6 min, jusqu'à tendreté.

4 Dans un petit saladier, mélangez le sucre, la Maïzena, le vinaigre, la sauce soja et le gingembre en poudre. Faites-les cuire à feu moyen et incorporez ce mélange aux légumes. Laissez mijoter 1 min en tournant jusqu'à épaississement.

5 Remettez le gingembre frit dans le wok. Mélangez et faites réchauffer le tout 2 min. Servez immédiatement.

Tartelettes aux légumes

INGRÉDIENTS

beurre pour graisser

400 g de pâte feuilletée prête à l'emploi

2 cuill. à soupe d'huile d'olive

1 poivron rouge épépiné et coupé en dés

1 gousse d'ail écrasée

1 petit oignon haché finement

250 g de tomates mûres hachées

1 cuill. à soupe de basilic frais déchiré en morceaux

1 cuill. à café de thym frais ou sec

sel et poivre

salade verte pour servir

pour 12 tartelettes

1 Préchauffez le four à 200 °C et graissez plusieurs plaques à pâtisserie.

2 Farinez légèrement votre plan de travail, étalez la pâte puis découpez 12 cercles pour faire les fonds de tartelettes.

3 Disposez les fonds de tartelettes sur les plaques et enfournez-les.

4 Faites chauffer l'huile dans une poêle et faites dorer le poivron rouge, l'ail et l'oignon 3 min à feu vif, jusqu'à tendreté.

5 Ajoutez les tomates et les herbes avec l'assaisonnement. Sortez les tartelettes du four et garnissez-les de la préparation.

6 Enfournez environ 5 autres min, jusqu'à ce que la garniture soit brûlante. Servez les tartelettes chaudes accompagnées d'une salade verte.

Salade d'épinards au yaourt et aux noix

INGRÉDIENTS

450 g de feuilles d'épinard frais

1 oignon haché

1 cuill. à soupe d'huile d'olive

sel et poivre

150 ml de yaourt

1 gousse d'ail hachée finement

2 cuill. à soupe de noix grillées et hachées

2 ou 3 cuill. à café de menthe fraîche hachée

pain pita pour servir

pour 2 personnes

1 Mettez les épinards et l'oignon dans une casserole et faites-les cuire à feu doux et à couvert jusqu'à ce que les épinards se flétrissent.

2 Ajoutez l'huile. Poursuivez la cuisson 5 min. Salez et poivrez.

3 Mélangez le yaourt et l'ail dans un bol.

4 Dressez les épinards sur un plat. Nappez-les de yaourt à l'ail, saupoudrez-les de noix et de menthe hachées, puis servez-les aussitôt avec du pain pita.

Salade de carottes et d'oranges à la marocaine

INGRÉDIENTS

450 g de carottes pelées

1 cuill. à soupe d'huile d'olive

2 cuill. à soupe de jus de citron

1 pincée de sucre en poudre

2 grosses oranges pelées et séparées en quartiers (réservez le jus)

1 poignée de raisins secs

1 cuill. à café de cannelle en poudre

2 cuill. à soupe de pignons

pour 4 personnes

1 Râpez grossièrement les carottes dans un grand saladier.

2 Dans un récipient séparé, mélangez l'huile, le jus de citron, le sucre et le jus des oranges.

3 Mélangez les quartiers d'orange avec les carottes, puis incorporez les raisins et la cannelle.

4 Juste avant de servir, nappez d'assaisonnement et parsemez de pignons.

Salade de tomates chaudes au basilic

INGRÉDIENTS

700 g de tomates cerises

1 gousse d'ail écrasée

2 cuill. à soupe de câpres égouttées et rincées

1 cuill. à café de sucre en poudre

4 cuill. à soupe d'huile d'olive

2 cuill. à soupe de basilic frais déchiré en morceaux

pour 6 personnes

1 Préchauffez le four à 200 °C. Dans un saladier, mélangez les tomates, l'ail, les câpres et le sucre, puis transférez ce mélange dans un plat à rôtir.

2 Ajoutez l'huile, tournez.

3 Faites cuire les tomates 10 min au four, jusqu'à ce qu'elles soient bien chaudes.

4 Transférez-les dans un plat résistant à la chaleur et servez-les immédiatement, parsemées de basilic.

6 Fruits

Un fruit frais constitue l'un des desserts les plus sains et les plus délicieux. Vous pouvez composer des salades de fruits originales avec des fruits de saison macérés dans de la citronnade ou du ginger ale, et aucun enfant ne résistera à des bananes nappées de chocolat fondu (noir, au lait ou blanc), roulées dans de la noix de coco râpée ou quelques noix broyées.

Poires sautées au sirop d'érable et aux noix

INGRÉDIENTS

6 cuill. à soupe de beurre

4 poires (ou pommes) fermes coupées en tranches épaisses

3 cuill. à soupe de sirop d'érable

2 cuill. à soupe d'eau-de-vie de poire (ou de calvados)

4 cuill. à soupe de noix

pour 4 personnes

1 Faites fondre la moitié du beurre dans une poêle. Ajoutez la moitié des poires ou des pommes.

2 Faites-les cuire 2 min de chaque côté, jusqu'à ce qu'elles dorent. Retirez-les de la poêle, puis renouvelez l'opération avec les fruits restants. Retirez-les.

3 Dans la même poêle, portez à ébullition le beurre restant avec le sirop d'érable, l'eau-de-vie et les noix. Retirez-les du feu.

4 Dressez les fruits chauds sur des assiettes, nappez-les de sauce et servez aussitôt.

Crème de banane à la fraise

INGRÉDIENTS

4 grosses bananes

450 g de fraises équeutées, plus des fraises entières pour décorer

300 g de crème liquide fouettée

sucre en poudre si nécessaire

petits gâteaux secs pour servir (des cigarettes russes, par exemple)

pour ❹ à ❻ personnes

1 Pelez les bananes. Mixez-les avec les fraises jusqu'à obtention d'une compote. Transférez-la dans un grand saladier.

2 Incorporez doucement la crème fouettée. Sucrez si nécessaire.

3 Laissez reposer cette crème au réfrigérateur jusqu'au moment de servir, accompagnée d'une fraise et de gâteaux secs.

Crème aux fruits rouges caramélisés

INGRÉDIENTS

450 g de fruits rouges comme des framboises, fraises, groseilles et cerises dénoyautées

300 g de crème liquide

100 g de sucre en poudre

pour 4 à 6 personnes

1 Préchauffez le gril au maximum. Répartissez les fruits dans plusieurs petits ramequins ou dans un grand plat.

2 Fouettez la crème dans un grand saladier jusqu'à ce qu'elle épaississe sans raffermir.

3 Nappez uniformément les fruits de crème.

4 Saupoudrez de sucre, de façon à recouvrir la crème, puis passez les ramequins ou le plat au gril, à une dizaine de centimètres de la source de chaleur, environ 3 min, jusqu'à ce que le sucre dore et bouillonne. Surveillez la cuisson – si vous les laissez trop longtemps, le sucre va noircir et brûler.

Coupelles au citron

INGRÉDIENTS

150 g de crème liquide

1 petite tasse de lait concentré

le zeste râpé et le jus
de 2 citrons

amaretti pour servir
(facultatif)

pour 4 à 6 personnes

1 Dans un saladier, mélangez la crème et le lait concentré jusqu'à obtention d'une préparation homogène.

2 Incorporez le zeste et le jus de citron.

3 Versez le tout dans des coupelles et laissez refroidir au réfrigérateur jusqu'au moment de servir. Si vous le désirez, vous pouvez accompagner ce dessert d'amaretti.

Ananas caramélisé

INGRÉDIENTS

6 tranches épaisses d'ananas frais

le jus de 1 grosse orange

6 cuill. à soupe de cassonade

pour 6 tranches

1 Préchauffez le gril. Disposez les tranches d'ananas sur la plaque du four ou la lèchefrite et arrosez-les avec la moitié du jus d'orange.

2 Saupoudrez la moitié du sucre dessus et passez-les au gril de 2 à 3 min jusqu'à ce que le sucre caramélise.

3 Retournez les tranches d'ananas, nappez-les du jus d'orange et du sucre restants, puis passez-les au gril de 2 à 3 min supplémentaires. Servez immédiatement.

Prunes au vin rouge épicé

INGRÉDIENTS

300 ml de vin rouge

3 grosses cuill. à soupe de cassonade

1 bâton de cannelle brisé

4 gousses de cardamome incisées

1 pincée de clou de girofle en poudre

8 prunes rouges fermes dénoyautées et coupées en deux

4 cuill. à soupe de crème fraîche, pour servir (facultatif)

pour ❷ à ❹ personnes

1 Dans une casserole, portez le vin rouge à ébullition à feu doux avec le sucre, la cannelle, la cardamome et le clou de girofle en mélangeant jusqu'à complète dissolution du sucre.

2 Poursuivez la cuisson 5 min avec les prunes.

3 Retirez la casserole du feu et laissez refroidir complètement avant de servir, accompagné de crème, si vous le souhaitez.

Fruits tropicaux rôtis au beurre épicé

INGRÉDIENTS

8 cuill. à soupe de beurre

2 cuill. à soupe de gingembre confit haché

½ cuill. à café de cannelle en poudre

½ cuill. à café de noix muscade râpée

2 cuill. à café de jus de citron

2 cuill. à café de sucre glace

4 bananes coupées en deux

4 quartiers d'ananas

2 papayes coupées en tranches épaisses

1 mangue coupée en tranches épaisses

pour 4 personnes

1 Préchauffez le gril ou le barbecue. Dans un grand saladier, mélangez le beurre avec les épices, le jus de citron et le sucre glace.

2 Étalez la moitié de ce mélange sur les fruits.

3 Passez les fruits au gril de 2 à 3 min, jusqu'à ce qu'ils commencent à caraméliser.

4 Retournez-les et renouvelez l'opération avec le mélange restant. Servez immédiatement.

Crème de mascarpone aux cerises

INGRÉDIENTS

450 g de cerises noires en conserve dénoyautées, avec leur sirop

1 cuill. à soupe d'eau de rose

600 ml de mascarpone

amandes effilées grillées ou pistaches hachées pour décorer

pour 4 personnes

1 Égouttez les cerises et réservez 2 cuill. à soupe de sirop.

2 Dans une jatte, incorporez l'eau de rose à ce sirop, puis ajoutez les cerises.

3 Répartissez ce mélange dans quatre verres ou coupelles. Recouvrez de mascarpone, saupoudrez d'amandes ou de pistaches, puis laissez reposer au réfrigérateur jusqu'au moment de servir.

Bananes à l'orange et au caramel

INGRÉDIENTS

100 g de sucre en poudre

1 cuill. à café d'extrait de vanille

le zeste râpé finement et le jus de 1 orange

4 bananes pelées et coupées en rondelles épaisses

2 cuill. à soupe de beurre

glace de votre choix pour servir (facultatif)

pour 4 personnes

1 Dans une poêle, faites chauffer le sucre, l'extrait de vanille et le jus d'orange à feu doux jusqu'à ce qu'il caramélise.

2 Ajoutez les rondelles de bananes et faites-les cuire de 1 à 2 min en secouant la poêle afin de bien les napper de caramel. Ajoutez le beurre.

3 Poursuivez la cuisson 3 min en continuant de secouer la poêle.

4 Dressez les bananes sur une assiette et servez-les chaudes, saupoudrées de zeste d'orange, avec une boule de glace si vous le désirez.

7 Desserts

Dans un dessert, la touche finale fait toute la différence. Des petits gâteaux secs émiettés, un zeste d'agrume finement râpé ou des copeaux de chocolat – pour les réaliser, passez un économe le long de la tablette – constituent de superbes garnitures. Au même titre que du sucre glace saupoudré juste au moment de servir.

Crème moka à la cassonade

INGRÉDIENTS

300 g de crème liquide

1 cuill. à café d'extrait de vanille

environ 200 g de chapelure de blé complet fraîche

100 g de cassonade

1 cuill. à soupe de café instantané

2 cuill. à soupe de cacao amer

chocolat râpé pour décorer (facultatif)

pour 4 à 6 personnes

1 Fouettez la crème avec l'extrait de vanille dans un grand saladier, jusqu'à ce qu'elle épaississe et raffermisse.

2 Dans un autre saladier, mélangez la chapelure, le sucre, le café et le cacao. Versez ce mélange sec dans de grands verres en alternant et en terminant avec la crème fouettée. Saupoudrez de chocolat râpé, si vous le désirez.

3 Couvrez les verres de papier d'aluminium et laissez reposer plusieurs heures au réfrigérateur, ou de préférence toute la nuit.

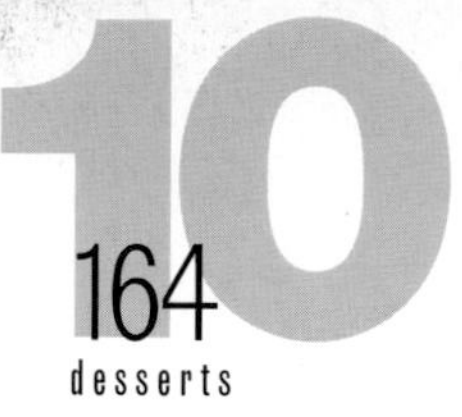

Omelette norvégienne sur pain d'épice

INGRÉDIENTS

4 cuill. à soupe de raisins secs noirs ou dorés

3 cuill. à soupe de rhum vieux

4 tranches carrées de pain d'épice

4 boules de glace à la vanille ou de glace au rhum et aux raisins secs

3 blancs d'œufs

250 g de sucre en poudre

pour 4 personnes

1 Préchauffez le four à 230 °C. Plongez les raisins secs dans le rhum.

2 Mettez les tranches de pain d'épice sur la plaque du four et garnissez chaque tranche de 1 cuill. de raisins au rhum.

3 Disposez une boule de vanille au centre de chaque tranche. Placez ces tranches au congélateur.

4 Pendant ce temps, préparez la meringue : battez les blancs d'œufs en neige dans un grand saladier. Lorsqu'ils commencent à raffermir, incorporez progressivement le sucre, 1 cuill. à soupe à la fois, jusqu'à ce que le mélange monte en neige.

5 Sortez les tranches de gâteau du congélateur et recouvrez entièrement les boules de glace de blancs en neige.

6 Passez-les 5 min au four, le temps que la meringue dore. Servez immédiatement.

Gâteau au chocolat sans cuisson

INGRÉDIENTS

250 g de beurre

250 g de chocolat noir

3 cuill. à soupe de café noir

50 g de cassonade

quelques gouttes d'extrait de vanille

250 g de biscuits secs émiettés

1 grosse poignée de raisins secs

1 grosse poignée de noix hachées

pour 6 à 8 personnes

1 Chemisez un moule à cake de 450 g ou un moule à tarte rond de 20 cm de diamètre, de papier sulfurisé. Dans une casserole, faites fondre à feu doux le beurre, le chocolat, le café, le sucre et l'extrait de vanille.

2 Ajoutez les biscuits émiettés, les raisins secs et les noix. Mélangez.

3 Versez ce mélange dans le moule.

4 Laissez-le prendre, puis placez ce gâteau 1 h au réfrigérateur. Au moment de servir, démoulez-le et découpez-le en fines tranches.

Syllabub au vin blanc et au miel

INGRÉDIENTS

3 cuill. à soupe de cognac

3 cuill. à soupe de vin blanc

environ 600 g de crème liquide

6 cuill. à soupe de miel

50 g d'amandes effilées

pour 4 à 6 personnes

1 Mélangez le cognac et le vin blanc dans un bol.

2 Dans un grand saladier, fouettez la crème jusqu'à ce qu'elle commence à épaissir.

3 Incorporez le miel et fouettez 15 s.

4 Versez le mélange cognac et vin blanc dans la crème en filet continu sans cesser de fouetter, jusqu'à ce que le liquide soit absorbé et que le mélange devienne ferme.

5 Transférez le mélange dans des coupes, puis laissez reposer de 2 à 3 h au réfrigérateur.

6 Juste au moment de servir, saupoudrez le syllabub de quelques amandes effilées.

Crème jamaïcaine

INGRÉDIENTS

pour 2 personnes

300 g de crème liquide

2 cuill. à soupe de cassonade

1 cuill. à soupe de café fort ou de liqueur de café

2 cuill. à soupe de rhum vieux

2 bananes mûres

grains de café enrobés de chocolat pour décorer

1 Dans un grand saladier, fouettez la crème, le sucre et le café jusqu'à ce que le mélange épaississe et raffermisse.

2 Ajoutez le rhum progressivement.

3 Épluchez et découpez les bananes en rondelles. Incorporez-les à la crème.

4 Transférez la préparation obtenue dans des verres ou des coupes, garnissez-la de grains de café au chocolat et laissez-la reposer au réfrigérateur jusqu'au moment de servir.

Crème au chocolat

INGRÉDIENTS

150 g de chocolat noir de qualité contenant au moins 60 % de cacao, brisé en morceaux ou haché

400 g de crème liquide

1 cuill. à café d'extrait de vanille

pour 4 à 6 personnes

1 Faites fondre le chocolat dans un petit saladier au-dessus d'une casserole d'eau frémissante (attention à ne pas la faire bouillir), ou faites-le fondre au micro-ondes dans un récipient adapté.

2 Retirez le saladier de la casserole ou du micro-ondes, et incorporez progressivement la crème avec l'extrait de vanille, jusqu'à obtention d'un mélange lisse.

3 Versez ce mélange dans des tasses à café ou des coupelles et laissez-le reposer au réfrigérateur jusqu'au moment de servir.

Crème moka

INGRÉDIENTS

12 marshmallows

100 ml de café noir fort

50 g de chocolat noir haché finement ou râpé

300 g de crème liquide

pour ❷ à ❹ personnes

1 Dans une casserole, faites fondre à feu doux les marshmallows avec le café et la moitié du chocolat. Retirez la casserole du feu.

2 Fouettez la crème dans un grand récipient, jusqu'à ce qu'elle épaississe et raffermisse, puis incorporez progressivement les marshmallows fondus.

3 Versez cette préparation dans deux ou quatre bols ou coupes. Saupoudrez du chocolat restant et laissez reposer au réfrigérateur jusqu'au moment de servir.

Index